# DECO粘土の作品集

# クレイアートコレクション

宮井和子
フルーツと薔薇のリース

# はじめに

ＤＥＣＯクレイクラフト（装飾粘土工芸）と名付け、手芸分野に新しいジャンルとして教室を開設して20年を迎えました。私自身粘土にこだわって30年経ちます。西洋陶器への憧れから、粘土で焼かないで手軽に陶器風の作品ができないものかと試行錯誤の結果、下地にジェッソを塗り、淡い色で彩色し、ニスを塗るという方法に至りました。堅くて艶やかになった作品を見て、永遠のものと感激したことが今でも懐かしく思い出されます。焼かない陶芸と謳ったのもその時のことです。20年前、銀座カネボウにてＤＥＣＯとして第一回目の作品展を開催したとき、新聞社、出版社、テレビ等で取り上げていただき、大変な反響で私自身とまどいを感じました。お陰様で、少しずつ皆様に新しいジャンルの工芸として知っていただくことができました。

毎年のように本を出版していただける幸運にも恵まれ、粘土の新しい可能性を発表することもできました。ＮＨＫおしゃれ工房手芸フェスティバルにも毎年参加させていただき、大勢の粘土ファンの方々にお会いできました。今では、粘土の好きな仲間の輪が日本だけにとどまらず、台湾、香港、ハワイ、アメリカ本土と自然に広がっています。ＤＥＣＯの魅力は、型にはまらず、自分らしさを表現でき、一つとして同じものができないということでしょうか。また簡単といっても奥が深く、なかなか思うようにならないことも、“はまってしまう”理由なのかもしれません。

このたび20周年記念として作品集を企画しましたところ、予想を上回る大勢の講師の方から力作ばかりが送られてきました。会場の関係もあり、直接展示して見ていただけないのが本当に残念です。

20周年の節目に、ＤＥＣＯの集大成としてこのような立派な本ができましたことは、私にとって最高の喜びです。そして、ＤＥＣＯを盛り上げ育ててくださった全国の講師の方々のご努力に深く感謝いたします。

これだけ粘土工芸が発展した陰には、粘土の素晴らしい研究開発があったことも事実です。粘土の質と種類の充実は、世界一と誇らしく思っています。これから21世紀への課題と夢は、テクニックの向上と共に粘土の楽しさをもっと大勢に知っていただき、粘土を通じて人々の輪が豊かに広がっていくことです。

そのために微力ながら私も初心を忘れず、日々努力をしていきます。これまでご協力くださいました放送、出版関係者の方々、また材料を提供してくださった関係者の方々ありがとうございました。心より感謝申し上げます。

宮井和子

宮井和子
人形のオブジェ

加藤栄子
ワインの語らい・50×45×80

山岡ハナコ
街・60×90×26

〔作品寸法／センチメートル〕

藤川　都
ヨーロッパの街並み・45×78

野崎晴美
CENTRAL ENGLAND・60×50×45

野口恵美子
森の愉快な動物達・40×27

下村輝代
18世紀地球を測る
45×45×45

小林安子
エンジェルの柱
27×27×78

五十嵐久美子
馬と少年・75×50

望月広子
フルーツオブジェの花台
120×140

大木恵子
想いを薔薇によせて・51×28×25

阪本慶子
仲良し・62×25×20

皆原悦子
アジア風フロアスタンド・60×40×40

能沢雅子
現代・90×40×30

新保美恵子
悠久の薔薇・70×100

林　博子
ピエロ・83×45

米納まり子
店のある風景・25×80×40

小林美矢子
癒される時間・40×65

宮川美智子
白馬・90×58×24

新田隆子
A COUNTRY DAY・70×90×15

夏山美千代
リース・55×55×10

伊藤正美
私のコーヒータイム・30×40×8

城戸敦子
MIND・90×75

長嶌和子
秋風・35×40×50

山下典子
籠と花のタワー・55×35

辛嶋鈴子
ケニア部落・38×90×40

沓水直子
ソフトで作るメルヘン・40×50

内藤照代
アメリカンアンティーク
30×40×70

吉川好子
キャンドルスタンド・147×38×35

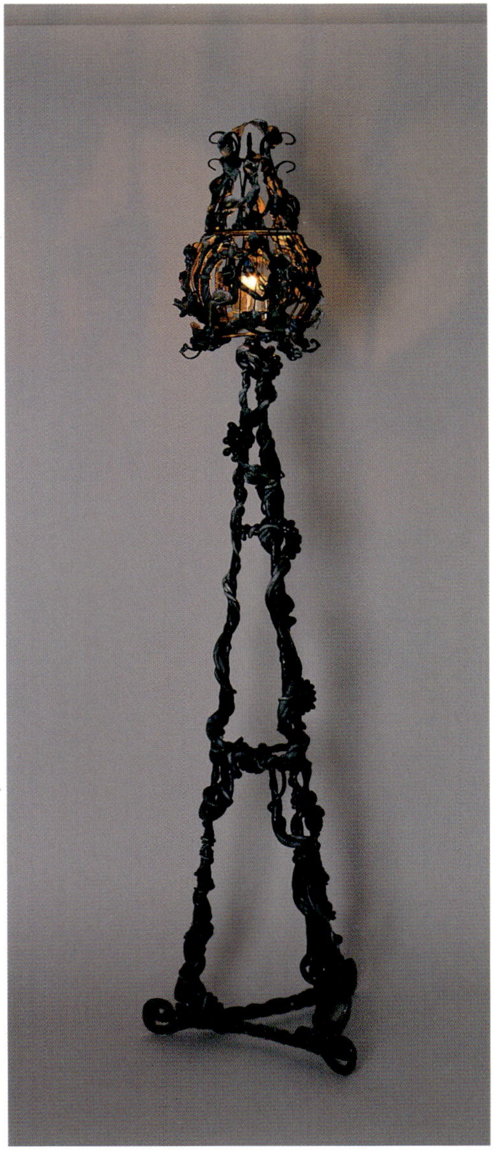

中原恵美子
薔薇のコンポート・47×50×120

井上昭子
ビクトリアン イリュージョン・75×135×20

槻木律子
仲間と想い出を奏でる・60×100×40

桝田敦子
チューリップのささやき・62×84×6

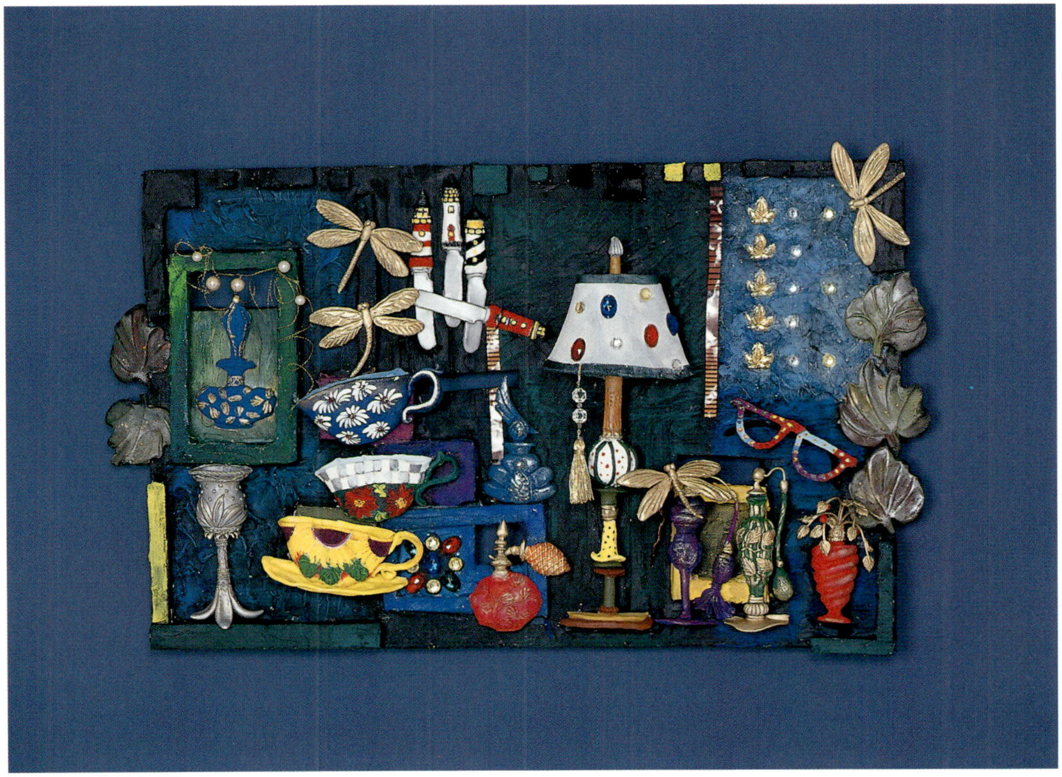

原田経子
HARMONY・50×85×10

尾崎　薫
「思い出のスクリーン」より・60×55×15

西　有理
希望・60×88

佐藤洋子
コタンの暮らし・75×45

木口伸子
宇宙を翔る・100×60×20

志賀明美
三蔵法師・60×30

山本純子
やすらぎ・50×28×22

満尾万喜子
荷馬車の乗客・50×25



坂井宣子
夫婦・50×18

日野眞佐子
WEDDING ボード・52×53×42

小倉喜久子
プリンセスパッケージ・30×40

中原敬子
語らい・42×44×41

外川章子
森の物語　秋・90×100

木内幸枝
フランスのある街角・60×45

阿部もり江
葡萄が沢山ついたバスケット・32×35×54

程野紀世　姉妹・24×36

高橋嘉子　花器・50×30×45

友岡積子　オータムローズ・10×45×25

中川みや子
音楽隊・65×12×30

伊藤洋子
絵付き壺・27×65

石川美智子
フルーツコンポート・55×33

森実恵美子
石の花・60×50

杉中久美子
若葉のささやき
76×49×100

大迫美幸
夕焼けの楽しみ
71×33

藤村千江子
泉・75×40

雨宮典子
岩窟の聖母
15×90×60

大山真由美　花の看板・45×35

青山美恵　女神の神殿・50×90×20

砂本啓子　ガーベラ・13×48×57

田原亜起　森のハーモニー・58×90

水野利枝　午後のひと時・60×50

新谷嘉良子　日曜日の朝・38×32×50

阿部桂子　キッチンコレクション・37×33×45

平山千穂子　和やかなひとときき・40×75

佐々木あかね　ドールハウス・23×34×7

山田幸子　時計・47×50×23

飯野陽子　夢空間・12×61×59

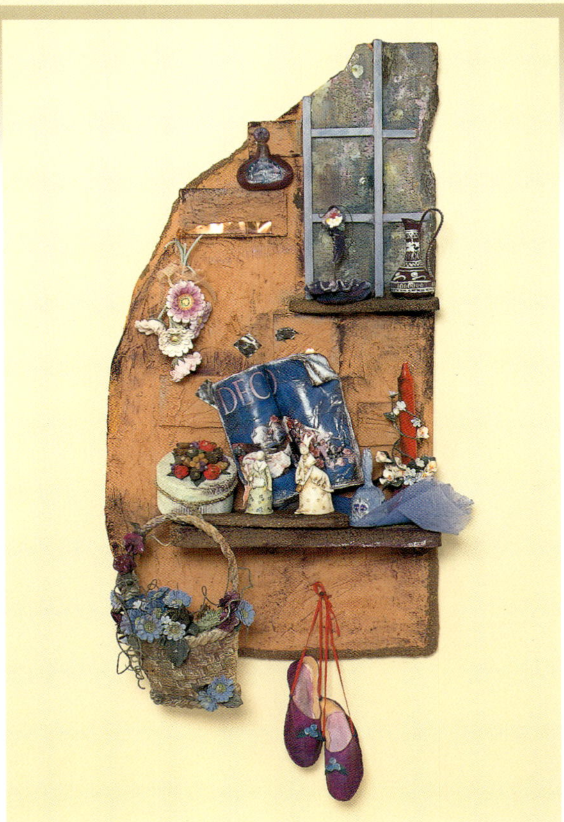

白石泰子
窓辺・90×45×20

榎本和子
白雪姫と森の小人達・50×50

佐藤和子
てまり
20×25×45

山川ひろ子　友達・50×65×40

宇佐見淳子　ピーターラビットの家族・33×41×32

鉄田トク子　友達・40×30

細郷園美　南仏の風景のレリーフ・49×36

久保山枝美子　ヨーロッパの古い城跡・27×77

阿部ふみ子　DECO20周年おめでとう・30×40

白土佐江子
ピエロの鏡
40×27×7

藤林照美
ばら城・65×45

佐藤いづみ　久遠・50×30×42

瀬戸恵子　宙・70×70

伊達敬子
ヴィーナス
62×36×36

堀江啓子
聖母・10×55×29

當座洋子
森の中のマドンナ
59×40

小澤かずえ
妖精の時計・160×40

大野美穂子
花のパラソル・40×35×35

玉台節子
ひまわり・18×38×80

岩渕則子
オータムバスケット・60×18

寺尾まり子
紫陽花・54×58×40

島田洋子
花と果物のアレンジ・45×45

三本千鶴
DREAM TIME・48×27×16

中島記子
フルーツコンポート
40×33×32

岸部愛子
篭に飾る・18×22×32（大）

海老澤加代子
虹色の翼を持つ天使
38×30×23

福永佐美子
ママお花いっぱいだよ
40×15

伴田典子
薔薇の花台
45×50×40

小田真知子
泉のほとりで小鳥と遊ぶ
33×34×40

田上ヨウ子
春の音色・80×54

三島美智子
慈愛・40×25

五関晴子
希望の光・40×52

野田雅子
楽しい手仕事
40×25×23

萩原智恵子
一輪車
60×55×40

田内淑子　情熱・50×40×40

久保真貴子
アケビとグロリオーサ・38×60×35

伊東利子
春の集い・65×70×50

津田祥子
ANGEL HEART
55×21×25

新沢圭子
カルテット・20×15×30

小寺ひろ子
ハート型バッグのブーケ・40×30×50

澤田信子
カサブランカと薔薇の語らい
50×50×45

柴田紀子
薔薇のささやき・65×40

多田真樹子
草原のコンツェルト・45×45×55

田村光子
WEDDING SONG・45×60

柘植朝子
夢のカバン・25×42×50

加藤敬子
ひとときㆍ41×25×30

庄司久美恵　クリスマスハウスㆍ40×50×30

森田恵美子
海原への郷愁ㆍ43×28×30

河内従子
LOVE LETTERㆍ42×50

大口慶子
フラワーパラソル・52×30×50

高橋ミツ子
薔薇と篭・23×40×30

荒木純子
春・60×60×40

田綿勝子
華・38×40×38

佐藤慶子
花の鏡・73×40×10

津田尚子
ポピーの花時計・60×45

澁江正子
夢見る少女・45×68×35

小高典子
鏡・50×38

金子美代子
何処かな・15×25×45

和田陽子　穏やかな午後・30×40×16

前田良子
ひだまり・40×30

長山由美
カウボーイ 憩いのひと時
50×70×90

槌谷洋子
やすらぎの時・40×18

飛芸和子　故郷の港・27×13

石塚洋子
仲良し・21×28

椎名公子　針仕事をするおばさん・38×57×23

木村トシ子
ユニークな叔父さん・15×15×48

大林登美子
競う馬・30×50

奥　時子
ピープル・70×80×10

守屋静恵
騎乗のインデアン・50×50×25

浅見紀子　川端珠枝　西澤和子　仁野平千佳
山崎明子　渡辺久子　渡辺幸子
踊るピエロの仲間達・50×100

小野順子
ひまわりの花器
45×40

米口裕子
妖精のコンポート
45×38×32

渡辺キヨ子
西洋の街並み
46×31×27

古山美津子
キングプロテアの器
50×39×38

吉兼清美
夏の想い出・16×25

中町尚美　薔薇のコンポート・70×55×50

菅井真紀子
お花畑・28×22×43

桑水流邦子
紫陽花のマガジンラック・28×22×43

米口君子
天使のスタンド
37×29×29

相楽益子
ランプシェード・22×90

緒方敦子
灯火・40×60

古里よし子
優雅なひと時
50×3

藤田澄子
天使のスタンド・33×33

大嶋恵子
秋の灯火・60×40×40

山形都紀美　野菜のランプシェードと農夫・51×50 /25×25×18 (人形)

坂本マツ子　花の妖精スタンド・37×32×45

佐野良子
おひなさま・6×13×7

斉藤祐子
愛犬マロン・22×20

野田良美
バッグと小物・18×23×12

永塚則子
琴ちゃんとケイトちゃん・55×15×15

瀧　栄美子
ピエロ・23×25×23

東海林しのぶ
飛行船・58×43×12

清水啓子
うさぎとくまの小物入れ・30×17×70

方波見けい
猫と少女・13×36×26

前嶋ノブ
ちょっと気取って
40×20

陣野栄子
洗足・40×50

白井御世子
白鳥城
65×70×40

小路信子
薔薇の
スリッパラック
29×29×62

堀内　恵
森の鏡・70×50×3

千代田三千恵
カントリークォーツ
70×42×8

千代田睦子
古城・83×54×14

加藤良子
たそがれ・68×40

岩井洋子
街並み・20×90

岡本一代
旅の思い出・28×36×49

大塚幸子
家・15×40

後藤満由美
ある風景・70×38

藪内敬子
浜辺・35×60×40

宮崎智子
ひと休み・25×60×47

渡邊知子
母子像
40×15×15

成見菊恵
未来日記
36×36×50

石川麗子
遊躍
100×60

田井中明美
楽園　40×50×36

重田由子
幻想
100×39×45

逆井直美
花台
74×31×45

平林せつ子
もの想う女性
45×20

曽我桂子
人形のランプ
シェード
40×30

石川みどり
慈愛
30×30×50

渡辺文江
花台
100×60

小林祥子
不苦労のドリームスタンド
56×17×20

安東千鶴
アンティーク with Green・48×32  40×30

田尻恵美子
公園のピエロ
80×46×18

久保裕子
貝殻付ルームランプ
55×25×20

鈴木八重子
葡萄のスタンド・60×42×40

管野ヒロ子
ロマンチックローズ・48×5

細谷陽子
或るお城・50×50×35

小林篤子
薔薇からの輝き・60×65×45

山下優子
こびと達の広場　32×50×15

根上和子
セピア色の想い出　10×70×70

永川恵子
天使たちのコンチェルト　50×30

高崎文子
時計　47×45×35

小泉美智代
PRINCESS OF THE MERMAIDS・40×30×30

熊川日東美
裸の王様・31×42×63

南大路悠美子　飾り馬・20×20

川口淳子　薔薇のオブジェ・25×36×55

安藤暢子
葡萄のつるかご・50×28×28

渡邉弘美
壺・35×30×30

角谷しづ子　水仙・26×30×20

柳田倫子
薔薇のバスケット・30×50×40

高野スミ子
メルヘンローゼ・32×33×52

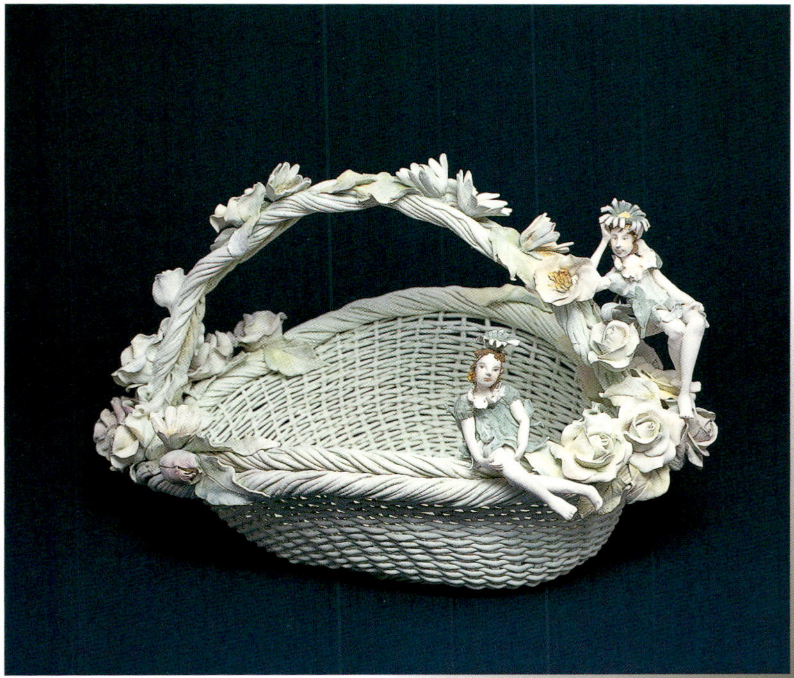

石橋恵子
日差しを浴びる花籠・52×45×35

横田ミヤ子
秋を想う花籠・45×50×40

佐藤寿美子
花のマガジンラック・41×55×35

大野晴美
カサブランカ
50×50×70

樋口アキ
夏の競演・103×50

樋口由美子
太陽の贈り物
80×40

菊池菊枝　薔薇に魅せられて・60×50

今井満子
花のバスケット・30×40×70

高羽素子
夏の思い出・50×75

佐藤昌代　メルヘン・35×35×45

浜　久美子　折り鶴と椿・45×40×52

永澤沙織　ミューシャ・41×31×9

小笠原米美
青の誘い
80×60

糸賀よしの
花への憧憬
80×45

松下美和
スマイリングエンジェル
55×45×10

笠原智子
水辺の語らい・50×45×12

荒枝多美子
清楚
18×30×60

三井文江　薔薇のコンポート・53×45×49

北原弘子
エンジェルの
音楽会
70×50×10

森本智江　フラワーウェディングケーキ・85×33×48

斎藤亜弓
花園のバレリーナ
60×50

竹野たつ子
ラブリーな
エンジェルたち
65×50×50

中野博美
森の家族
100×50

川崎百合子
憧れる深紅の薔薇・20×60×55

笠井展子
森の妖精・62×52×15

高瀬朋子　子供達の遊び・45×60

増井昭子
カラーと百合のハーモニー・20×65×45

松田喜代美
フルーツとワインと時計・55×80×8

岡田さよ子
花を摘む少女・34×27×52

門脇雅子
カントリー・28×45×15

長沼美江子
変わらぬ日々
70×60

小柴和子　星の願い・80×60×20

渡辺和江
三つの想い・50×70

野間真弓
ピエロのカーニバル
14×70×45

松嶋直子
ウェディング
32×28×75

河田周子
憩いのひとときㆍ40×20

成田千鶴
夢想う少女ㆍ23×14×38

宗園正江
ぬくもりㆍ67×26×26

山本智恵
ハーピストㆍ26×52×56

木村恵子
わんぱく広場・25×40

岩井えり子
招かれて・40×30

富森文子
ピクニック・40×50×25

佐久間ミツ子　仲良し・50×45

比留間由美子
夏の思い出・80×40

清水昌子
天使の壺・47×31

古川裕子
花台・60×40

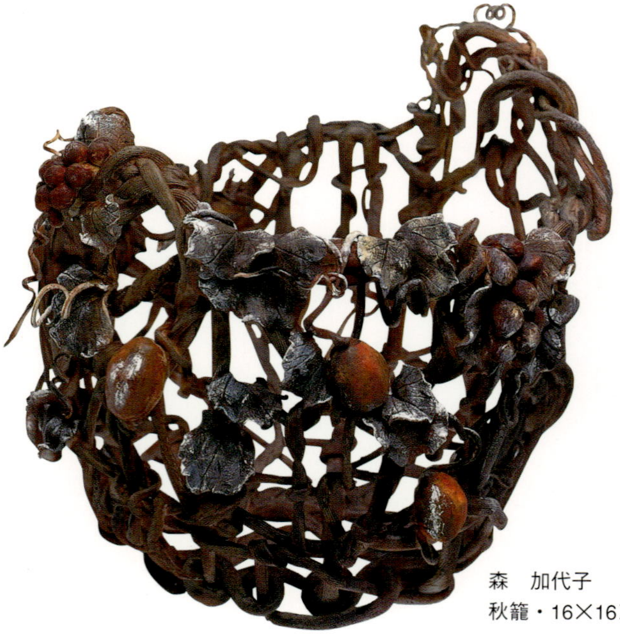

森　加代子
秋籠・16×16×16

野澤美弥子
花つき篭・35×56×40

秋田嘉枝
カントリーキッチン・20×65×65

金原有希
南の島・65×55×34

平形カヨ子
木の実の変わり編み器
55×33×28

小松智都子
MY FRIENDS・25×20×50

藤　順子
メリークリスマス・30×23×55

遠藤敦子
サンタクロース
50×17

川又かほる
愉快な仲間・25×70×40

徳田美千子
小犬とフラワーポット・25×30×4

島谷　薫
花台・50×40



松井文代
アンティーク・70×40×30

市原隆子
プランター・80×50

清水玲子
花付き鉢カバー・27×35×35

木戸五百子
花園・21×41×35

東原真喜子
薔薇とレースの籐籠・21×27×27

岡田正子
バラのささやき ・45×60

田川和子
薔薇と天使のコンポート
50×27×27

中道寿枝
スターローズ・60×60×30

村松欣子　過ぎ行く夏の浜辺・40×76×32

白砂　薫　お城のポスト・72×32×52

遠山佳子
子猫とバスケット・33×35×35

神子美登里
ようこそお店へ ・36×36

永田江美子
フランスの秋・60×40

植西敦子
ファッションドール・25×10

遠藤千恵子
花と少女 ・40×60×45

本村福江
ハートの花のリース・25×25×9

山本ヨシノ
ブーケパラソル ・16×58×36

二保幸子　午後のやすらぎ・48×37×50

金子和子
深海・33×43×18

棚橋せつ
葡萄の二段ワゴン・47×32×63

佐藤雅子
葡萄のおしゃべり
33×33×77

西浦紀子
マガジンラック・20×28×35

木村文子
隠れ家・25×25×40

野田佳代
スリッパラック・60×30×23

村山多美
果物のフリーラック・33×58×22

松村美枝子
シンプルカラーの椅子・73×34

後藤里美
タンポポの看板・27×118

岡田和子
ウエディング
40×50×35

鈴木順子
森の結婚式・27×40

冷水敬子　森の仲間・20×30

里村満里
MARISOL 私の店・30×80×12

植田優子
バラのカーニバル・60×80

和田則子
ファンタジックピエロ
60×45

高石保江
ピエロ・60×35

管田イサ子
ピエロのかくれんぼ
90×60

古賀淳乃
札幌
70×60×10

高野悦子
優しいまなざし
60×50

長谷和子
EARLY SPRING
OF FIRST KISS
8×44×63

伊藤幸子
ひまわりのプレゼント・45×60×50

荒木洋子
窓辺の風景 ・44×70

和田恵美子
散歩・45×59

杉嵜ひとみ
小公子・50×82×14

針生紀子
ウエルカムフラワー・52×34×20

小川順子
愛の花園・52×56

左近恵子　アンティークトランクと花・40×60×50

佐藤恵美　薔薇とフルーツのアレンジメント・35×30×27

伊藤裕子
ローズガーデン・55×25×32

高橋久美子
カサブランカのレリーフ・73×52

日高晴美
薔薇のミラー
70×58

小渕あさ子
ハッピーブライダル・40×30

岩野加代子
リスの鉢カバー・60×45×20

田辺節子
WONDERFUL LITE　地球の詩・50×60×20

佐野美智江
花の妖精
39×28×24

前田恭子
収穫・50×40

坂井ひとみ　ワンダーランド・35×30

中野渡友子
妖精たちのHAPPY WEDDING ・18×18×25

加藤久恵
フェアリーバタフライ・58×32×60

白形文恵
エンジェルと花
78×45

青山八重子
夢見る天使
45×45×45

木多洋子
鏡の精のささやき・70×40

三上孝子
夢見るフェアリー
60×30×45

山口すみれ
春のおとずれ
45×30

山川真知子
百合・45×35

佐野美津江
パインバスケットフラワー・42×28×29

太田真由美　　収穫の喜び・65×55×40

黒住智子　フルーツの壁掛け・95×50×15

葛生とも子
郷愁・60×40×40

大石一江
フルーツのマガジンラック・37×23×30

大畑明子
バラの花篭・45×40×50

芦澤和美
風・56×35×33

残間紀美子
ENGEL・70×55×7

高橋小夜子　レリーフ・50×22×10

藤松伸子　夢の中のシャガールの世界・40×50×10

内田三代子
桜の精・65×46×5

穴井悦子
二人の少女・37×51

田中良子
やすらぎの風景・70×45×30

北谷えり子
旅の思い出・32×39×58

小島恵子
ファミリー・40×75×10

飯島節子
天使のハーモニー・25×40×40

本田暁世
ヴェネツィア紀行・49×63

塩澤洋子
ニューオリンズ・45×45×80

中村みどり
幻惑・50×50

若林英子
アンダルシアの街角・37×35×40

小池芳江
エーゲ海の街のマガジンラック・50×55×15

川内洋子　街並みのフロアスタンド・50×35×57

亀塚清子
古城のロマンス ・78×88

高倉宣子
印象的なロワールの橋・50×59

山上邑子
カルカッソンヌの南仏・55×72

加藤美根子
家並・10×58×70

徳本君江
古城・55×62×40

郡司典子
葡萄のランプ
61×30×53

守屋裕紀子
人形のスタンド・40×20×20

山元信子
花のランプ・32×22

箱守千恵子
アンティークテーブルとスタンド・53×53×100

望月秀子
スタンドの下の白いピエロ・60×20×15

甲斐美智子
花いっぱい・60×30

亀山洋子
フラワースタンド・45×37

武居由希子
花と果物のスタンド・85×49×49

豊福由紀子
天使達の集い・55×70×10

勝島久美子　薔薇の中のエンジェル・48×40×5

伊藤京子　夢の中・60×60

赤塚保美
妖精の行進・80×60

石井裕子
花のレリーフ・73×51

岡田すみ子
エンジェルの花遊び・65×45

石井あけみ
エンジェルと
フルーツ
60×35×20

東　かおり
和み・12×94×60

小沢啓子
プラムの実のふた付器・14×20×40

高橋佐紀子
エンジェルのボックス・33×26×14

坂本マス
初夏の風・38×38×25

横関千恵子
果物付きの籠・22×43×75

片山なつゑ
花のコンポートと女性・60×32×32

鈴木和代
夢に向かって大輪の花のように・45×25

長田寿子　カトレアのテーブル・70×38

山田恵利子　薔薇と貝のコンポート・60×30×30

真島フミ子
ちょっと気取って・30×15

佐藤栄子
妖精・50×30×42

千葉アヤ子　　貴婦人・60×40

高田寿子　夫《め》婦《おと》・50×15

中原江里子
KINDERGARDEN・38×78×60

中村文代
人力車にて・24×34

中根敏子
猫・50×20

岡崎恵美子
ジャズ・22×60

南條和枝
どの花にしようかな・35×40×47

小林美紀
カントリーハウス・20×50×35

山之上多美江　森の小路・50×40

青木千代
市場の風景・70×40×130

新井典子
バスルーム・45×18×70

長谷川孝子
午後のひと時・40×75

加藤淑子
ベネチア・50×70×45

浜田恭子
飾り棚のデザイン・60×90×15

宇田節子
のどかなヨーロッパの家・42×60×30

小柴晴美
ペガサスと薔薇・40×40

加納蓉子
楽園・32×50×50

冨所みどり
市場の女・80×60

山口早苗
CARNIVAL
100×70

佐藤祐子
ピエロ・60×90

伊藤美知子　秋・45×70

佐藤桂子
トランプマン
80×45

小島法子
ミラーオブザドリーム
120×70

石橋純子
篭を頭にのせた女性
80×60

蓑田道子
花と鳥・80×60

大石令子
ユリの鏡・52×35×7

金　敦子
LITTLE WARLD
100×45×35

山本節子
カサブランカの灯火・85×35×35

塚原幸子
PEACE BELL
15×82×45

原田克子
空間
80×68×76

菊地こずえ
花のオブジェ・25×80×25

清水弘美
花いっぱいのアンブレラ
60×70×100

池田美佐子
華・45×50×60

松原宏子
BLUE LEAVES・60×40×60

森屋姫路
幻想・61×44×54

上田節子
花の精・14×15×15

佐藤和江　薔薇とバスケット・35×40×35

中林孝子　熱き想い・75×45×60

田森典子
ライムライト・40×60×60

大石智子
ないしょ話・40×30

松森真喜子
ロバと子供・28×21×47

沼田アキ子　雨やどり・40×30

岡野澄子
祈る少年とマリア様・35×37×30

上西真貴子
田園の貴婦人・75×38×33

宗島美鈴　想い・55×50

加藤利子　チェロを奏でる女・60×50×50

関　眞由美
イングランドの茅葺き屋根の家　30×35×55

青木久子
秋の収穫　35×50

本間幸子　モロッコ　65×45×60

中沢京子　丘の上の教会　44×41×49

早川ひとみ
旅の思い出・35×46×53

児玉淳子
石釜で焼くパン屋さん・45×25×87

鵜飼志を子
街角で遊ぶ子供達・40×90×41

原田規江
帰郷・40×45×60

西　美保子
夢 カラーの叫び・40×30

寺島ヒロ子
エスニカンコンポート
81×24×34



渡辺ちい子
チルチルミチル
の幸福の青い鳥
65×40×40

渡辺しのぶ
ワインラック・46×20×27

村上千尋
街角　40×50

田村智子
GOOD NIGHT　65×59

小島照美
緩やかな時　60×60

中井幸子
ベニスの街並　50×70

高橋良子
表札　40×65

福田葉子
カラーを飾る　53×72

諏訪絹子
馬　50×60

井澤きよ子
森の妖精　45×61×7

森田冨美子
ミューシャ　95×52×5.5

田丸かつ子
ローズガーデン・15×51×69

松尾裕子　夢を見る薔薇たち・30×30

並木操子
天使のささやき・90×60

藤沼智子
いたずらな太陽・50×50

佐藤明子
LOVE ・45×92×10

西田容子
ザ・ピエロ・50×65

田中信子
シンデレラストーリー・65×75

山辺ミツ江
想い出のイタリア・58×49

高野純江
農夫のいる風景・16×46×80

小松光子
花咲く家のレリーフ・40×7.5×50

久津見早苗
窓のある風景・60×90

渡辺えり子
森のエンジェル
70×60

銀川麻里子
夢の花・20×90×50

中嶋京子
野菜のリース
8×70×30

松本敏子
ドレープの鏡・57×33

新田末子　野菜とフルーツの壁掛け　45×50×12

阿蘇品芳乃
花の中の鏡・75×45

八角江美子
薔薇の鏡・45×40×52

山本禮子
道化師の語らい
65×42×85

吉田ツネ子
農村の秋・42×50

安藤克子
淺き夢見し・90×60

藤家藍奈
TAWANI 先原文化・60×100

長岐千鶴子
風・55×75

久下谷節子
未来へ・55×60

荒牧暢子
星の王子様・50×50

末続よし子
二人の時間・45×60

杉村洋子
少年少女のブドウ付き絵皿・40×50

隅田恵里子
街の時計屋さん・50×40×32

東　佐代子
花屋さん・55×46

塚越良子
街角・74×90×48

上田つや子
靴屋さん・35×38×43

山口照子
ねずみのおうち・40×45×14

北島ます子
大勢の子供・25×63

四方田君代
旅の思い出・40×38×45

小崎よね子
安らぎのひとととき・43×81×43

大島和美
城への径・57×55×15

渡辺都代子
森の中のお城・66×63

小嶋　和
ラインリバーの畔・60×65×15

石森和子
風景・60×60×20

廣部和子
ドンキホーテ &サンチョパンサ・54×62

並木和枝
家のレリーフ・80×40×8

及川節子
橋のある風景・78×53×12

田中公子
ラインのほとり・45×40×75

渡辺敬子
ラブエンジェル
52×35×17

北村田鶴子
ヴィーナスの誕生・40×60

仲田孝美
森のファンタジー・88×57

山本すみ子
聖母と天使たち
65×49

布留川三枝子
花の精と天使たち・55×70

以後崎陽子
森の妖精・43×53

河原井陽子
花の精のレリーフ・8×49×62

荻野かおる
天使のめざめ・60×45

渋谷裕巳子
聖歌・71×58

井手典子
チャペルでウエディング・50×43

丸山敬子
愛のカサブランカ
90×50

小沢圭子
ANNEに出会えた旅
の思い出
15×70×15

宮迫眞理子
ピアノを弾く娘たち・62×45

室井やす子
花と乙女・45×30

高嶋和子
やすらぎ・71×101

桑原ふき
貴婦人・55×45

高橋淳子
調和　40×30

浦　洋子
アリス慈愛の女神　23×70×46

佐藤多美枝
ミューシャの世界
65×33

北山美代子
娘（ミューシャより）
75×55×12

藤林弥恵
風のささやき・85×48

石井美智子
CLOSE YOUR EYES・15×70×70

木村栄子
白い箱・40×30

長谷部とし子
ウエルカムアメリカ
80×40

奥村美鈴
旅の思い出・32×62

高嶋道子
I FEEL GREAT・40×35×30

宮嶋鋭美　ALL SET FOR LIFE・40×43×36

木村則子　MAIL FROM SWITZERLAND ・35×50×35

丸山順子
LET'S CLIMB THE MATTERHORN・75×21×21

小林美智子
ROOT OF HEAR T ・38×47×47

村瀬眞知子
WITH CONFIDENCE・30×55×25

原　かよ子
HEIDIS VILLAGE・32×55×32

本舘京子
アルプスからのそよ風・30×45×40

長谷川玲子
かくれんぼ・30×40×30

上田佳子
おるすばん・25×55×40

田中裕子
待ちぼうけ・25×38×15

白谷直美
礼拝中・26×42×35

蘇鉄本真由美
Firenze dalla chiesa・32×45×30

木佐貫正美
SHOMA KUN・45×45×30

井口由美子
小さな恋の物語・38×37×8

三上恭枝
TYPICAL ITALIAN LANE・10×31×39

杉江豊子
ITALIAN COUNTRYSIDE・39×28×11



森口洋子
RESTAURANT・30×50×30

上田美津江
LAKE SIDE・20×27×47

四元久美
WHAT A BEAUTIFUL DAY・30×40×30

休石信子
WHAT A WONDERFUL DAY・26×29×45

野々暁美
哀愁のフィレンツェ・43×32×30

霜田知子
想い出の中で・28×37×43

岡　清美
ないしょ話・46×37×37

岡田トシエ
仲直り・40×35×35



新村伸江
うちあけ話・20×34×33

村上淳子
素直な心・35×35×50

大羽幸子
マイムマイム・20×40×38

辻　節子
ホルンの調べ・54×28×15



山本弘美
BEST PARTNERS・30×20×15

樋口明子
花のメロディー・20×40×30

千代田尚子
薔薇の壁かけ
60×33

佐藤洋子
家並みと時計
75×58×10

渡辺まゆみ
天使のしらべ・35×50

兼子ひろみ
花とエンジェル・45×60×5

谷屋順子
晩秋・50×60

桑原紀美子　薔薇とカラーの鏡・70×40

長谷川早苗　春のささやき・92×48

やすなみ和美　モロッコの娘・48×78

川角順子
不思議な森
45×23

正木和子
ブライダルブーケとバッグ
70×30



松本カヨ子
ラビアンローズ
70×40×30

小島蓉子
果実の
リラクゼーション
100×35

堀越恵子
ガーランド・61×65

早田和代　花瓶に盛った花・62×70

金田洋子　海の神秘・50×50×90

岩崎乃理子
篭から飛び出す物語・40×50×50

清水美代子　ひまわり・90×23×65

高麗礼子
二輪車・45×70×45

鈴木弘美
慈しむ・26×26×45

海田イク　布遊び・50×28

安井フミ子　尾瀬の風景とイーゼル・70×45×20

鎌形千恵子　花のテーブル・52×28

外池明美　薔薇と椅子・75×40×35

福本俊子　花台・37×31

大森邦子　孫との憩いの時間・35×27×50

田川芙美子　お母さんいつもありがとう・45×60×50



波木瑠美　魔女の菜園・45×37×43

川西千代乃　収穫・30×40×30

鯨井真奈美　大勢のレリーフ・40×75

久冨静枝　仲良し・18×12

田中豊子　薔薇の楽園・60×59

坂東千鶴子　野ねずみの村の絵本・28×54×22

岸野満江　フロンティアのキッチン・18×50×60

新谷千秋　旅の思い出・30×36×48

梅田孝子　旅の思い出・35×36×53

久恒しづ子　丘の上の別荘・20×40

森川圭子　いこい・30×40

八木早苗　暖炉のある家・24×38×64

山下道子　くつろぐ女性・60×20×90

四元節代　団欒・75×42

石内延子　PETITE CHAMBRE・25×35×30

宮澤仁子　午後のひととき・37×62×14

中田澄江「あーそぼ！」・50×63×18

出口サナエ　チーズ作り・50×80

宮倉誠子　花屋・42×36×15

榊　智子　ぼくと私のパン屋さん・38×48

井上佳子　水上マーケット・35×35×38

高野のり子　ステラ・65×45

松沢眞貴子　南仏の風・40×50

田代千栄子　暖・53×72

高野愛子　思い出の街角・57×50

道永倫子　私の庭・45×45×40

大宮はるみ　やわらかな陽射しの中で・50×90

高田和子　森の木陰でドンジャラホイ・30×60×47

鈴木八重子　楽しい家畜達・45×55×20

山縣シゲミ　暖炉のある居間・40×50×37

榊原陽子　月への願い・60×50

井上伸子　ミネルバ・62×84×6

金田順子　平和への祈り・60×40

酒匂万理　アールデコのファッション・85×50

栗林瑠美　バイオリンを弾く乙女・80×45

林　美恵子　ミューズ・60×50×15

川西孝子　静寂・62×18×41

松丸美智子
踊るアンジェリク
92×55

佐藤京子　唐辛子のリース・9×55×40

海老原美子　花の輝き・50×40

野中こずえ　哀愁・100×80

稲山優美　感謝・30×40

鯨井啓子　仲良し・55×50×18

助川三千子　MY GARDEN・67×50

植野洋子　マイガーデン・92×59×18

箕谷昌子　星を集めて・40×60

松尾眞澄　ピエロのシンフォニー・55×110

田村道子　ピエロと子供達・90×32×15

疋田尚子　森の精霊・65×85

高橋美保子　明日へのシンフォニー・42×75

亀井芙美子　ドリーム＆ドリーム・55×84×6

後藤　薫　ST.バレンタインデー・23×30×36

小林洋子　音に誘われた天使たち・30×60×25

山根由加　天使の休日・5×48×90

八鳥弥生　アクセサリー

中山佳世　和音・58×58×20

長谷川節子　夏の思い出・90×50

渡辺裕子　鉄の船・58×85

青木節子　青と光のシャトー・75×60

野田仁美　つるのコンポート・60×50×60

石田邦美子　花と実と・45×50

川端ゆかり　ギリシャの勇者・40×70×20

布施邦子　エンジェル・15×70×92

永島典子　夏の香り・60×30×35

高塚初野
ミューシャを薔薇で飾って
70×40×30

吉村滋子　薔薇の椅子・90×60

陳　凱琳　FLOWER DESIGN・50×55

町野孝子　オリーブの若葉・33×43×30

唐　雪儀　CHIINESE DOLL・40×30

佐近都江　秋の陽だまり・45×62×55

鄭　珍沃　童心・35×28

唐　雪華　SUNSET・40×60

八山　緑　陽春・24×45×35

土屋ハツエ　木と遊ぼうよ・52×46×70

秋山裕子　十二月二十二日・32×40

范　郁真　JANNY・45×70

李　碧瑶　DESK SET・23×34×12

姜　麗紅　陳　婷瑤　何　旻真
AMERICAN COUNTRY・100×150

曾　雅敏
可愛い蜜蜂・65×40

游　美照　ANGEL・50×60

黄　美淑　森の小人・40×60

林　玉綺
NUT CRACKER・75×45

李　静宣　SHELLEY・45×70

蔡　旻吟
壁飾りSHELL
40×85

龔　慧君　SHELL マガジンラック・40×55×20

林　孟祥
花の壁飾り・100×70

宮井和子　天使のレリーフ

# 出品者一覧

# 出品者一覧

| 名前 | 所在地 | 電話番号 | 掲載頁 |
|---|---|---|---|
| 北海道 | | | |
| 伊藤洋子 | 夕張郡 | 0123-88-2716 | 27 |
| 小川順子 | 札幌市 | 011-873-6567 | 92 |
| 木村トシ子 | 千歳市 | 0123-22-5610 | 48 |
| 久保裕子 | 千歳市 | 0120-23-7958 | 62 |
| 古賀淳乃 | 札幌市 | 011-531-1880 | 90 |
| 後藤里美 | 千歳市 | 0123-26-8020 | 88 |
| 佐藤洋子 | 札幌市 | 011-583-9866 | 21 |
| 残間紀美子 | 札幌市 | 011-853-5011 | 99 |
| 清水啓子 | 千歳市 | 0123-26-4418 | 55 |
| 小路信子 | 千歳市 | 0123-22-5407 | 56 |
| 杉村洋子 | 勇払郡 | 01452-5-2558 | 133 |
| 瀬戸恵子 | 札幌市 | 011-885-0952 | 34 |
| 棚橋せつ | 千歳市 | 0123-26-4154 | 86 |
| 中原恵美子 | 千歳市 | 0123-26-5707 | 17 |
| 平形カヨ子 | 恵庭市 | 0123-37-0702 | 79 |
| 松尾裕子 | 札幌市 | 011-896-6478 | 127 |
| 青森・宮城・福島県 | | | |
| 北村田鶴子 | 青森市 | 0177-34-6339 | 138 |
| 重田由子 | 青森市 | 017-774-0031 | 60 |
| 大宮はるみ | 仙台市 | 022-231-5030 | 165 |
| 尾崎　薫 | 仙台市 | 022-214-4565 | 20 |
| 門脇雅子 | 仙台市 | 022-278-2730 | 74 |
| 木村文子 | 仙台市 | 022-278-8439 | 87 |
| 木村栄子 | 仙台市 | 022-378-1363 | 143 |
| 榊原陽子 | 古川市 | 0229-23-0992 | 166 |
| 高野愛子 | 仙台市 | 022-233-4171 | 164 |
| 成見菊恵 | 仙台市 | 022-252-6067 | 59 |
| 布留川三枝子 | 仙台市 | 022-373-3437 | 139 |
| 山下優子 | 名取市 | 022-386-1860 | 64 |
| 遠藤敦子 | いわき市 | 0246-62-4201 | 80 |
| 青木節子 | 福島市 | 0245-93-5212 | 173 |
| 管田イサ子 | 福島市 | 024-557-8831 | 90 |
| 管野ヒロ子 | 福島市 | 024-558-6090 | 63 |
| 佐久間ミツ子 | いわき市 | 0246-25-3831 | 77 |
| 佐藤栄子 | いわき市 | 0246-43-0181 | 110 |
| 佐藤雅子 | 福島市 | 024-534-1568 | 86 |
| 志賀明美 | いわき市 | 0246-23-2477 | 22 |
| 高田寿子 | いわき市 | 0246-28-8123 | 110 |
| 千葉アヤ子 | いわき市 | 0246-82-2812 | 110 |
| 中根敏子 | いわき市 | 0246-65-5293 | 111 |
| 樋口アキ | 福島市 | 024-557-1715 | 68 |
| 茨城県 | | | |
| 以後崎陽子 | 石岡市 | 0299-22-2000 | 139 |
| 遠藤千恵子 | 日立市 | 0294-33-0604 | 85 |
| 笠井展子 | 日立市 | 0294-21-6886 | 73 |
| 加納蓉子 | 北相馬郡 | 0297-83-0710 | 114 |
| 久下谷節子 | 日立市 | 0294-34-0170 | 133 |
| 椎名公子 | 日立市 | 0294-53-8965 | 47 |
| 澁江正子 | 日立市 | 0294-53-9653 | 45 |
| 庄司久美恵 | 日立市 | 0294-52-1371 | 43 |
| 助川三千子 | 日立市 | 0294-32-1567 | 169 |
| 田綿勝子 | 水戸市 | 0292-43-3830 | 44 |
| 槌谷洋子 | 新治郡 | 0299-26-4476 | 47 |
| 丸山敬子 | 筑波郡 | 0297-58-6543 | 140 |
| 森田恵美子 | 石岡市 | 0299-26-1339 | 43 |
| 渡辺都代子 | 日立市 | 0294-34-3724 | 136 |
| 岩井洋子 | 那珂郡 | 0292-95-0864 | 58 |
| 方波見けい | 行方郡 | 0299-55-0551 | 55 |
| 桑原ふき | 東茨城郡 | 0299-46-1268 | 141 |
| 柴田紀子 | つくば市 | 0298-56-2950 | 42 |
| 高橋淳子 | 龍ヶ崎市 | 0297-66-5509 | 142 |
| 高橋ミツ子 | 石岡市 | 0299-26-6713 | 44 |
| 津田祥子 | 水戸市 | 029-228-9136 | 41 |
| 富森文子 | 水戸市 | 0292-43-5554 | 77 |
| 中川みや子 | 東茨城郡 | 0292-92-2891 | 27 |
| 長岐千鶴子 | 龍ヶ崎市 | 0297-66-8219 | 132 |
| 松本敏子 | 水戸市 | 0292-21-3468 | 130 |
| 森実恵美子 | 北相馬郡 | 0297-48-7588 | 27 |
| 冷水敬子 | 石岡市 | 0299-26-6133 | 88 |
| 栃木・群馬県 | | | |
| 青山八重子 | 宇都宮市 | 0286-21-3895 | 96 |
| 飯島節子 | 宇都宮市 | 028-645-2077 | 101 |
| 大木惠子 | 宇都宮市 | 028-621-5710 | 10 |
| 河内従子 | 下都賀郡 | 0280-56-1478 | 43 |
| 坂本マス | 上都賀郡 | 0282-92-7769 | 108 |
| 高橋小夜子 | 宇都宮市 | 028-623-6212 | 99 |
| 永島典子 | 宇都宮市 | 028-622-9886 | 174 |
| 根上和子 | 芳賀郡 | 0285-75-0101 | 64 |
| 樋口由美子 | 宇都宮市 | 028-648-2528 | 68 |
| 阿部もり江 | 前橋市 | 027-243-3351 | 26 |
| 石井裕子 | 高崎市 | 027-327-1016 | 107 |
| 大嶋恵子 | 前橋市 | 027-253-5436 | 53 |
| 木戸五百子 | 太田市 | 0276-31-5790 | 82 |
| 佐野良子 | 前橋市 | 027-223-4077 | 54 |
| 塚越良子 | 高崎市 | 027-325-2654 | 134 |
| 中村文代 | 高崎市 | 027-352-2389 | 111 |
| 埼玉県 | | | |
| 浅見紀子 | 比企郡 | 0492-96-3930 | 49 |
| 阿部ふみ子 | 入間郡 | 0492-58-3301 | 33 |
| 新谷千秋 | 所沢市 | 042-928-8045 | 160 |
| 石森和子 | 狭山市 | 0429-58-8790 | 136 |
| 伊藤幸子 | 鶴ヶ島市 | 0492-87-3308 | 91 |
| 稲山優美 | 新座市 | 048-482-1598 | 168 |
| 上田つや子 | 越谷市 | 0489-66-6709 | 134 |
| 内田三代子 | 入間市 | 042-962-7621 | 99 |
| 海老原美子 | 新座市 | 048-479-3613 | 168 |
| 大石一江 | 入間市 | 042-964-1493 | 98 |
| 大島和美 | 大宮市 | 048-623-9461 | 136 |
| 太田真由美 | 入間市 | 042-964-8886 | 97 |
| 大塚幸子 | 越谷市 | 0489-64-0541 | 58 |
| 大野晴美 | 熊谷市 | 0485-21-1116 | 68 |
| 大森邦子 | 川越市 | 0492-31-8464 | 158 |
| 岡崎恵美子 | 鶴ヶ島市 | 0492-86-4443 | 111 |
| 岡野澄子 | 川越市 | 0492-44-4343 | 121 |
| 岡本一代 | 所沢市 | 042-924-7280 | 58 |
| 小渕あさ子 | 新座市 | 048-478-1106 | 93 |
| 加藤良子 | 入間市 | 042-966-3763 | 57 |
| 兼子ひろみ | 川口市 | 048-297-0904 | 152 |
| 金田順子 | 新座市 | 048-481-1401 | 166 |
| 金田洋子 | 川口市 | 048-294-3684 | 155 |
| 川角順子 | 三郷市 | 0489-55-6098 | 154 |
| 川端珠枝 | 比企郡 | 0493-74-0022 | 49 |
| 木口伸子 | 入間市 | 042-932-6863 | 21 |
| 菊池菊枝 | 越谷市 | 0489-89-2300 | 68 |
| 岸部愛子 | 越谷市 | 0489-64-1257 | 37 |
| 北山美代子 | 所沢市 | 042-926-3633 | 142 |
| 鯨井啓子 | 川口市 | 048-295-1567 | 169 |
| 鯨井真奈美 | 与野市 | 048-855-0855 | 159 |
| 葛生とも子 | 川口市 | 048-295-6525 | 98 |
| 黒住智子 | 入間市 | 042-963-9982 | 97 |
| 小島恵子 | 川口市 | 048-294-2971 | 100 |
| 小高典子 | 蓮田市 | 048-769-4724 | 45 |
| 斉藤祐子 | 大宮市 | 048-643-6776 | 54 |
| 佐藤明子 | 入間市 | 042-963-3267 | 128 |
| 佐藤和子 | 鶴ヶ島市 | 0492-85-8220 | 32 |
| 清水昌子 | 大宮市 | 048-663-7513 | 78 |
| 清水玲子 | 越谷市 | 0489-66-7549 | 82 |
| 白井御世子 | 川越市 | 0492-31-4919 | 56 |
| 白石泰子 | 春日部市 | 048-755-1271 | 31 |
| 白土佐江子 | 越谷市 | 0489-85-5949 | 34 |
| 鈴木八重子 | 熊谷市 | 0485-32-4580 | 165 |
| 鈴木八重子 | 浦和市 | 048-874-0287 | 63 |
| 高羽素子 | 三郷市 | 0489-51-8376 | 69 |
| 伊達敬子 | 坂戸市 | 0492-83-4620 | 35 |
| 田中良子 | 入間市 | 042-932-0381 | 100 |
| 谷屋順子 | 上尾市 | 048-775-2465 | 153 |
| 田村光子 | 岩槻市 | 048-756-9772 | 42 |
| 田村道子 | 川口市 | 048-296-5635 | 170 |
| 長沼美江子 | 三郷市 | 0489-51-9133 | 74 |
| 中町尚美 | 浦和市 | 048-887-6743 | 51 |
| 中道寿枝 | 大宮市 | 048-663-5139 | 83 |
| 長山由美 | 草加市 | 0489-41-4663 | 46 |
| 並木和枝 | 越谷市 | 0489-86-2479 | 137 |
| 並木操子 | 新座市 | 048-477-0281 | 127 |
| 西　有理 | 上福岡市 | 0492-61-0069 | 20 |
| 西浦紀子 | 狭山市 | 0429-59-8706 | 86 |
| 西澤和子 | 坂戸市 | 0492-83-2638 | 49 |
| 新田末子 | 越谷市 | 0489-85-5396 | 131 |
| 仁野平千佳 | 鶴ヶ島市 | 0492-86-5851 | 49 |
| 野中こずえ | 新座市 | 048-478-6560 | 168 |
| 長谷川早苗 | 大宮市 | 048-660-3024 | 153 |
| 長谷部とし子 | 所沢市 | 042-945-8835 | 143 |
| 浜田恭子 | 狭山市 | 042-958-0023 | 113 |
| 早川ひとみ | 所沢市 | 042-922-2533 | 123 |
| 針生紀子 | 大宮市 | 048-666-3781 | 92 |
| 久恒しづ子 | 川口市 | 048-294-3692 | 160 |
| 久冨静枝 | 大宮市 | 048-647-5558 | 159 |
| 比留間由美子 | 新座市 | 048-481-4780 | 78 |
| 廣部和子 | 浦和市 | 048-884-5228 | 137 |
| 福本俊子 | 川越市 | 0492-41-7344 | 157 |
| 藤　順子 | 入間市 | 042-964-5168 | 80 |
| 藤沼智子 | 新座市 | 048-478-1659 | 128 |
| 本田暁世 | 坂戸市 | 0492-82-1487 | 101 |
| 前田良子 | 新座市 | 048-478-5587 | 46 |
| 増井昭子 | 三郷市 | 0489-58-9025 | 73 |
| 松田喜代美 | 三郷市 | 0489-51-8571 | 74 |
| 宮倉誠子 | 狭山市 | 042-953-2882 | 163 |

| | | | |
|---|---|---|---|
| 宗島美鈴 | 川口市 | 048-258-7112 | 121 |
| 山口すみれ | 坂戸市 | 0492-83-0299 | 96 |
| 山口照子 | 越谷市 | 0489-65-3183 | 135 |
| 山崎明子 | 比企郡 | 0493-74-2153 | 49 |
| 山下道子 | 越谷市 | 0489-86-4004 | 161 |
| 山本禮子 | 鳩ヶ谷市 | 048-284-6155 | 131 |
| 四方田君代 | 所沢市 | 042-925-2945 | 135 |
| 渡辺久子 | 坂戸市 | 0492-81-2687 | 49 |
| 渡辺幸子 | 坂戸市 | 0492-89-6186 | 49 |
| 渡辺えり子 | 朝霞市 | 048-472-8725 | 130 |
| 渡辺裕子 | 新座市 | 048-479-1903 | 172 |

## 千葉県

| | | | |
|---|---|---|---|
| 青木千代 | 山武郡 | 0475-88-2248 | 112 |
| 青山美恵 | 柏市 | 0471-31-0334 | 29 |
| 秋田嘉枝 | 佐倉市 | 043-461-0774 | 79 |
| 荒木洋子 | 浦安市 | 047-355-7402 | 91 |
| 安藤克子 | 浦安市 | 047-353-1880 | 132 |
| 飯野陽子 | 千葉市 | 043-272-6880 | 31 |
| 五十嵐久美子 | 浦安市 | 047-352-6757 | 9 |
| 石川麗子 | 市川市 | 047-371-8081 | 60 |
| 石塚洋子 | 松戸市 | 047-386-9836 | 47 |
| 伊東利子 | 浦安市 | 047-351-1730 | 40 |
| 伊藤裕子 | 市川市 | 047-397-5286 | 93 |
| 糸賀よしの | 流山市 | 0471-59-8455 | 70 |
| 今井満子 | 八千代市 | 047-483-3035 | 69 |
| 岩野加代子 | 八街市 | 043-443-6678 | 94 |
| 植田優子 | 八街市 | 043-444-5543 | 89 |
| 上西真貴子 | 市川市 | 047-396-1645 | 121 |
| 植野洋子 | 市川市 | 047-370-8334 | 169 |
| 宇佐見淳子 | 流山市 | 0471-58-1367 | 32 |
| 浦　洋子 | 流山市 | 0471-52-0615 | 142 |
| 及川節子 | 山武群 | 0475-88-0431 | 137 |
| 大石令子 | 松戸市 | 047-365-1223 | 116 |
| 小澤かずえ | 柏市 | 0471-66-4039 | 35 |
| 加藤栄子 | 浦安市 | 047-355-0562 | 6 |
| 鎌形千恵子 | 千葉市 | 043-253-1417 | 157 |
| 亀塚清子 | 柏市 | 0471-32-2471 | 102 |
| 川内洋子 | 市原市 | 0436-25-4448 | 102 |
| 川崎百合子 | 松戸市 | 047-346-9096 | 73 |
| 川端ゆかり | 流山市 | 0471-59-0609 | 173 |
| 木内幸枝 | 習志野市 | 047-470-2022 | 25 |
| 木多洋子 | 八千代市 | 047-484-9210 | 96 |
| 城戸敦子 | 印西市 | 0476-46-7046 | 14 |
| 木村恵子 | 市川市 | 047-325-4638 | 77 |
| 金原有希 | 佐倉市 | 043-461-5111 | 79 |
| 久津見早苗 | 八千代市 | 047-484-6727 | 129 |
| 小池芳江 | 市原市 | 0436-21-3835 | 102 |
| 小崎よね子 | 柏市 | 0471-33-4953 | 135 |
| 小島蓉子 | 市川市 | 047-336-1247 | 154 |
| 五関晴子 | 市川市 | 047-338-7385 | 39 |
| 小林美紀 | 松戸市 | 0473-85-6356 | 112 |
| 細郷園美 | 浦安市 | 047-353-2061 | 33 |
| 逆井直美 | 流山市 | 0471-59-2785 | 60 |
| 阪本慶子 | 八千代市 | 0474-85-5695 | 10 |
| 左近恵子 | 市原市 | 0436-22-3445 | 92 |
| 佐々木あかね | 浦安市 | 047-350-8127 | 31 |
| 佐藤京子 | 佐倉市 | 043-461-3523 | 168 |
| 佐藤慶子 | 松戸市 | 047-344-8778 | 45 |
| 清水弘美 | 印旛郡 | 047-492-4634 | 118 |
| 白形文恵 | 柏市 | 0471-76-3975 | 95 |
| 末続よし子 | 千葉市 | 043-271-3236 | 133 |
| 砂本啓子 | 八千代市 | 047-482-8439 | 29 |
| 関　眞由美 | 我孫子市 | 0471-82-4403 | 122 |
| 芦澤和美 | 松戸市 | 047-348-0277 | 98 |
| 高石保江 | 千葉市 | 043-250-0032 | 89 |
| 高瀬朋子 | 浦安市 | 0473-53-3864 | 73 |
| 高橋久美子 | 千葉市 | 043-211-0705 | 93 |
| 高橋良子 | 市川市 | 047-358-8090 | 126 |
| 高橋嘉子 | 柏市 | 0471-33-4385 | 26 |
| 田中公子 | 流山市 | 0471-43-2690 | 137 |
| 千代田睦子 | 柏市 | 0471-31-9014 | 57 |
| 千代田尚子 | 流山市 | 0471-58-2771 | 152 |
| 内藤照代 | 佐倉市 | 043-461-5317 | 17 |
| 永澤沙織 | 佐倉市 | 043-462-0257 | 70 |
| 永田江美子 | 佐倉市 | 043-461-0480 | 84 |
| 中野博美 | 佐倉市 | 043-485-4424 | 72 |
| 中村みどり | 船橋市 | 0474-29-2808 | 101 |
| 沼田アキ子 | 流山市 | 0471-59-2834 | 120 |
| 萩原智恵子 | 東葛飾郡 | 0471-96-3664 | 40 |
| 長谷和子 | 市原市 | 0436-92-3892 | 90 |
| 八角江美子 | 山武郡 | 0479-82-0830 | 131 |
| 林　博子 | 市原市 | 0436-43-2000 | 12 |
| 日野眞佐子 | 千葉市 | 043-241-8279 | 24 |
| 福永佐美子 | 市川市 | 047-356-6500 | 38 |
| 藤川　都 | 柏市 | 0471-67-5435 | 7 |
| 布施邦子 | 印旛郡 | 0476-98-0802 | 174 |
| 古川裕子 | 印旛郡 | 0474-91-9252 | 78 |
| 古里よし子 | 袖ヶ浦市 | 0438-75-6186 | 52 |
| 前嶋ノブ | 浦安市 | 047-355-2877 | 56 |
| 前田恭子 | 柏市 | 0471-66-8520 | 94 |
| 三上孝子 | 市川市 | 047-397-6537 | 96 |
| 皆原悦子 | 市原市 | 0436-22-6073 | 10 |
| 望月広子 | 流山市 | 0471-59-5203 | 9 |
| 森田冨美子 | 印西市 | 0476-42-2315 | 127 |
| 守屋静恵 | 船橋市 | 047-424-7868 | 48 |
| やすなみ和美 | 市川市 | 047-395-3538 | 153 |
| 山縣シゲミ | 我孫子市 | 0471-82-7434 | 165 |
| 山川真知子 | 浦安市 | 0473-53-6114 | 97 |
| 山田幸子 | 松戸市 | 047-389-6737 | 31 |
| 山之上多美江 | 松戸市 | 0473-64-4639 | 112 |
| 山辺ミツ江 | 千葉市 | 043-252-7607 | 129 |
| 吉川好子 | 松戸市 | 047-346-3807 | 17 |
| 渡辺キヨ子 | 市川市 | 047-373-6779 | 50 |
| 渡辺敬子 | 市川市 | 047-397-7965 | 138 |
| 渡辺ちい子 | 印西市 | 0476-97-1973 | 124 |
| 渡辺文江 | 東葛飾郡 | 0471-91-8619 | 61 |

## 東京都

| | | | |
|---|---|---|---|
| 池田美佐子 | 江戸川区 | 03-3677-4826 | 118 |
| 石内延子 | 練馬区 | 03-3999-8256 | 162 |
| 石川みどり | 三鷹市 | 0422-47-1580 | 61 |
| 伊藤京子 | 町田市 | 042-773-6017 | 106 |
| 岩渕則子 | 大田区 | 03-5700-1222 | 36 |
| 宇田節子 | 国立市 | 042-574-0723 | 114 |
| 梅田孝子 | 東久留米市 | 0424-73-6233 | 160 |
| 海老澤加代子 | 世田谷区 | 03-3418-3753 | 38 |
| 大石智子 | 小平市 | 0424-51-2347 | 120 |
| 荻野かおる | 羽村市 | 042-579-4354 | 139 |
| 小倉喜久子 | 目黒区 | 03-3712-3577 | 24 |
| 小田真知子 | 狛江市 | 03-5497-3031 | 38 |
| 鉄田トク子 | 練馬区 | 03-3904-7257 | 33 |
| 加藤美根子 | 日野市 | 042-591-2149 | 103 |
| 金子和子 | 多摩市 | 042-356-0165 | 86 |
| 金子美代子 | 江戸川区 | 03-3675-5604 | 46 |
| 辛嶋鈴子 | 板橋区 | 03-3935-2347 | 16 |
| 川西千代乃 | 中野区 | 03-3386-5786 | 158 |
| 河原井陽子 | 板橋区 | 03-3965-8874 | 139 |
| 菊地こずえ | 狛江市 | 03-3488-3980 | 118 |
| 岸野満江 | あきる野市 | 042-558-2938 | 160 |
| 北谷えり子 | 東久留米市 | 0424-65-9870 | 100 |
| 銀川麻里子 | 武蔵野市 | 0422-52-2849 | 130 |
| 栗林瑠美 | 三鷹市 | 0422-34-1228 | 167 |
| 児玉淳子 | 狛江市 | 03-3488-9026 | 123 |
| 小寺ひろ子 | 江戸川区 | 03-3869-2896 | 41 |
| 後藤　薫 | 大田区 | 03-3720-9498 | 171 |
| 小林洋子 | 練馬区 | 03-3923-6876 | 171 |
| 佐藤いづみ | 武蔵野市 | 0422-54-8718 | 34 |
| 佐藤桂子 | 町田市 | 042-722-7571 | 115 |
| 塩澤洋子 | 新宿区 | 03-3260-0896 | 101 |
| 渋谷裕巳子 | 練馬区 | 03-3929-8359 | 140 |
| 東海林しのぶ | 狛江市 | 03-3430-0776 | 55 |
| 新沢圭子 | 狛江市 | 03-3488-7801 | 41 |
| 杉中久美子 | 練馬区 | 03-3867-5773 | 28 |
| 鈴木弘美 | 板橋区 | 03-3964-3271 | 156 |
| 諏訪絹子 | 足立区 | 03-3889-7727 | 126 |
| 高塚初野 | 練馬区 | 03-3929-2509 | 174 |
| 高野のり子 | 世田谷区 | 03-3426-6757 | 163 |
| 高橋佐紀子 | 練馬区 | 03-3923-9098 | 108 |
| 武居由希子 | 杉並区 | 03-3322-7591 | 105 |
| 田尻恵美子 | 練馬区 | 03-3925-1560 | 62 |
| 田中信子 | 足立区 | 03-3850-9305 | 128 |
| 玉台節子 | 板橋区 | 03-3965-4655 | 36 |
| 田村智子 | 練馬区 | 03-3921-5756 | 125 |
| 寺尾まり子 | 品川区 | 03-3767-0295 | 36 |
| 遠山佳子 | 板橋区 | 03-3930-4646 | 84 |
| 徳本君江 | 新宿区 | 03-3951-0988 | 103 |
| 中沢京子 | 狛江市 | 03-3488-5087 | 122 |
| 中島記子 | 板橋区 | 03-3938-4437 | 37 |
| 永塚則子 | 狛江市 | 03-3488-3574 | 54 |
| 野澤美弥子 | 板橋区 | 03-3935-4902 | 79 |
| 長谷川孝子 | 練馬区 | 03-3921-5973 | 113 |
| 八鳥弥生 | 西東京市 | 0424-22-1408 | 172 |
| 日高晴美 | 足立区 | 03-3885-4880 | 93 |
| 平山千穂子 | 練馬区 | 03-3922-8157 | 30 |
| 福田葉子 | 狛江市 | 03-3488-9228 | 126 |
| 冨所みどり | 八王子市 | 0426-63-1255 | 114 |
| 程野紀世 | 練馬区 | 03-3924-7163 | 26 |
| 本村福江 | 豊島区 | 03-3974-8003 | 85 |
| 真島フミ子 | 豊島区 | 03-3916-8748 | 110 |
| 松丸美智子 | 江戸川区 | 03-3658-5286 | 167 |
| 松村美枝子 | 調布市 | 0424-88-0365 | 87 |
| 松本カヨ子 | 練馬区 | 03-3594-1375 | 154 |
| 水野利枝 | 杉並区 | 03-3399-8412 | 30 |
| 南大路悠美子 | 世田谷区 | 03-3309-0739 | 65 |
| 宮迫眞理子 | 多摩市 | 042-339-0512 | 141 |

| | | | |
|---|---|---|---|
| 室井やす子 | 葛飾区 | 03-3604-9221 | 141 |
| 望月秀子 | 狛江市 | 03-3480-8333 | 105 |
| 柳田倫子 | 武蔵野市 | 0422-55-3709 | 66 |
| 山上邑子 | 狛江市 | 03-3480-7969 | 103 |
| 山下典子 | 八王子市 | 0426-64-0355 | 15 |
| 山本節子 | 国立市 | 042-575-4046 | 117 |
| 吉田ツネ子 | 練馬区 | 03-3923-1883 | 132 |
| 吉村滋子 | 中野区 | 03-3386-3075 | 174 |
| 和田陽子 | 練馬区 | 03-3933-5715 | 46 |
| 和田恵美子 | 立川市 | 042-535-3303 | 91 |
| 渡辺和江 | 立川市 | 042-536-2196 | 75 |

### 神奈川県

| | | | |
|---|---|---|---|
| 石井あけみ | 横浜市 | 045-785-0388 | 107 |
| 石井美智子 | 横浜市 | 045-491-6951 | 143 |
| 石川美智子 | 横浜市 | 045-361-9536 | 27 |
| 石橋純子 | 横浜市 | 045-896-1468 | 116 |
| 市原隆子 | 横浜市 | 045-902-4797 | 81 |
| 伊藤正美 | 相模原市 | 0427-54-5579 | 14 |
| 伊藤美知子 | 海老名市 | 0462-33-2852 | 115 |
| 井上昭子 | 横浜市 | 045-361-6338 | 18 |
| 大迫美幸 | 川崎市 | 044-777-5281 | 28 |
| 小笠原米美 | 横浜市 | 045-813-0935 | 70 |
| 岡田すみ子 | 横浜市 | 045-813-0640 | 107 |
| 岡田正子 | 鎌倉市 | 0467-33-2425 | 82 |
| 小沢啓子 | 横浜市 | 045-813-7706 | 108 |
| 小野順子 | 相模原市 | 0427-61-3525 | 50 |
| 笠原智子 | 横浜市 | 045-895-4063 | 71 |
| 加藤利子 | 相模原市 | 0427-60-4733 | 121 |
| 加藤淑子 | 横浜市 | 045-351-0124 | 113 |
| 神子美登里 | 横須賀市 | 0468-41-9379 | 84 |
| 亀山洋子 | 横須賀市 | 0468-43-8070 | 105 |
| 河田周子 | 鎌倉市 | 0467-32-6765 | 76 |
| 川又かほる | 津久井郡 | 0427-82-0653 | 80 |
| 能沢雅子 | 横浜市 | 045-845-5776 | 11 |
| 桑水流邦子 | 横須賀市 | 0468-61-7789 | 51 |
| 郡司典子 | 川崎市 | 044-911-4812 | 104 |
| 高麗礼子 | 津久井郡 | 0427-82-7513 | 156 |
| 小柴和子 | 平塚市 | 0463-55-2449 | 75 |
| 小柴晴美 | 藤沢市 | 0466-26-4843 | 114 |
| 小島法子 | 横浜市 | 045-364-1867 | 116 |
| 小林祥子 | 横須賀市 | 0468-24-0732 | 62 |
| 米納まり子 | 相模原市 | 042-773-9158 | 12 |
| 金　敦子 | 横浜市 | 045-351-3531 | 117 |
| 坂井宣子 | 横浜市 | 045-594-0035 | 23 |
| 坂井ひとみ | 横浜市 | 045-864-6263 | 95 |
| 坂本マツ子 | 横浜市 | 045-821-5441 | 53 |
| 佐藤多美枝 | 横浜市 | 045-786-1875 | 142 |
| 佐藤恵美 | 川崎市 | 044-857-2663 | 92 |
| 佐藤和江 | 川崎市 | 044-245-2878 | 119 |
| 佐藤祐子 | 川崎市 | 044-977-9549 | 115 |
| 佐藤洋子 | 足柄上郡 | 0465-89-2772 | 152 |
| 里村満里 | 横浜市 | 045-972-3210 | 89 |
| 佐野美津江 | 川崎市 | 044-877-3038 | 97 |
| 島田洋子 | 川崎市 | 044-865-6203 | 37 |
| 島谷　薫 | 相模原市 | 042-771-9771 | 81 |
| 清水美代子 | 相模原市 | 042-778-2113 | 156 |
| 白砂　薫 | 横浜市 | 045-785-0500 | 83 |
| 新谷嘉良子 | 横浜市 | 045-912-3834 | 30 |
| 陣野栄子 | 川崎市 | 044-951-3765 | 56 |
| 新保美恵子 | 横浜市 | 045-862-2968 | 11 |
| 鈴木和代 | 横浜市 | 045-913-4033 | 109 |
| 鈴木順子 | 鎌倉市 | 0467-31-7870 | 88 |
| 早田和代 | 横浜市 | 045-942-4758 | 155 |
| 曽我桂子 | 横浜市 | 045-364-6639 | 61 |
| 高倉宣子 | 平塚市 | 0463-23-3855 | 103 |
| 高崎文子 | 大和市 | 046-272-7759 | 64 |
| 田上ヨウ子 | 横浜市 | 045-622-9533 | 39 |
| 瀧　栄美子 | 横浜市 | 045-871-0759 | 55 |
| 田原亜起 | 大和市 | 046-262-4842 | 29 |
| 田丸かつ子 | 川崎市 | 044-977-7753 | 127 |
| 田森典子 | 相模原市 | 042-733-5999 | 120 |
| 千代田三千恵 | 海老名市 | 046-231-9143 | 57 |
| 塚原幸子 | 津久井郡 | 042-782-8722 | 117 |
| 津田尚子 | 横浜市 | 045-571-3867 | 45 |
| 寺島ヒロ子 | 横浜市 | 045-361-6754 | 124 |
| 徳田美千子 | 愛甲郡 | 046-286-3763 | 81 |
| 中嶋京子 | 川崎市 | 044-857-6321 | 130 |
| 仲田孝美 | 横浜市 | 045-953-5280 | 138 |
| 中野渡友子 | 横浜市 | 045-903-1325 | 95 |
| 中原江里子 | 横浜市 | 045-912-0818 | 111 |
| 中山佳世 | 横浜市 | 045-336-3744 | 172 |
| 新田隆子 | 横浜市 | 045-942-3760 | 13 |
| 野崎晴美 | 相模原市 | 0427-62-5615 | 7 |
| 野田雅子 | 川崎市 | 044-861-0767 | 39 |
| 野田良美 | 横浜市 | 045-827-2351 | 54 |
| 箱守千恵子 | 川崎市 | 044-932-4619 | 104 |
| 長谷川節子 | 横浜市 | 045-861-1693 | 172 |
| 長谷川玲子 | 横浜市 | 045-904-6303 | 146 |
| 原田経子 | 横浜市 | 045-861-6284 | 19 |
| 伴田典子 | 津久井郡 | 0427-82-3283 | 38 |
| 飛芸和子 | 川崎市 | 044-813-0122 | 47 |
| 藤村千江子 | 相模原市 | 0427-54-7076 | 28 |
| 古山美津子 | 横浜市 | 045-365-5289 | 50 |
| 堀江啓子 | 横浜市 | 045-864-9381 | 35 |
| 堀越恵子 | 中郡 | 0463-72-1301 | 155 |
| 本間幸子 | 相模原市 | 042-761-7146 | 122 |
| 松沢眞貴子 | 小田原市 | 0465-45-0302 | 164 |
| 松原宏子 | 川崎市 | 044-954-1982 | 118 |
| 満尾万喜子 | 横浜市 | 045-592-1837 | 23 |
| 蓑田道子 | 横浜市 | 045-911-6081 | 116 |
| 箕谷昌子 | 横浜市 | 045-942-5167 | 169 |
| 宮川美智子 | 藤沢市 | 0466-26-4184 | 13 |
| 宮澤仁子 | 横浜市 | 045-942-5957 | 162 |
| 村松欣子 | 横浜市 | 045-366-3953 | 83 |
| 八木早苗 | 津久井郡 | 0427-82-3806 | 161 |
| 山口早苗 | 座間市 | 046-252-4411 | 115 |
| 山田恵利子 | 横浜市 | 045-941-8984 | 109 |
| 山本智恵 | 横浜市 | 045-903-8255 | 76 |
| 若林英子 | 相模原市 | 042-768-3814 | 102 |
| 渡辺しのぶ | 川崎市 | 044-966-2421 | 124 |
| 渡邊知子 | 横浜市 | 045-784-3635 | 59 |
| 渡辺まゆみ | 横浜市 | 045-862-5604 | 152 |

### 山梨・長野・石川県

| | | | |
|---|---|---|---|
| 雨宮典子 | 南都留郡 | 0555-73-3939 | 28 |
| 長田寿子 | 中巨摩郡 | 055-277-6063 | 109 |
| 小島照美 | 中巨摩郡 | 0552-77-2612 | 125 |
| 高野純江 | 中巨摩郡 | 0552-74-5146 | 129 |
| 外川章子 | 南都留郡 | 0555-72-1721 | 25 |
| 森屋姫路 | 南都留郡 | 0555-72-3064 | 119 |
| 井澤きよ子 | 長野市 | 026-296-5130 | 126 |
| 石田邦美子 | 金沢市 | 076-245-1013 | 173 |

### 岐阜・静岡・愛知・三重県

| | | | |
|---|---|---|---|
| 野田佳代 | 羽島郡 | 058-240-0287 | 87 |
| 森　加代子 | 本巣郡 | 058-327-5170 | 78 |
| 森本智江 | 多治見市 | 0572-29-3188 | 72 |
| 赤塚保美 | 田方郡 | 0559-49-5812 | 106 |
| 安藤暢子 | 三島市 | 0559-76-0851 | 66 |
| 大畑明子 | 島田市 | 0547-37-6014 | 98 |
| 岡田さよ子 | 田方郡 | 0559-49-5717 | 74 |
| 勝島久美子 | 静岡市 | 054-247-1938 | 106 |
| 佐藤寿美子 | 三島市 | 0559-75-0055 | 67 |
| 三井文江 | 沼津市 | 0559-32-9226 | 71 |
| 荒枝多美子 | 名古屋市 | 052-622-2786 | 71 |
| 鵜飼志を子 | 名古屋市 | 052-712-0932 | 123 |
| 片山なつゑ | 西春日井郡 | 0568-22-1191 | 109 |
| 加藤敬子 | 稲沢市 | 0587-32-2108 | 43 |
| 小泉美智代 | 海部郡 | 05679-5-5782 | 65 |
| 中原敬子 | 名古屋市 | 052-772-9450 | 25 |
| 成田千鶴 | 尾張旭市 | 052-771-0018 | 76 |
| 堀内　恵 | 名古屋市 | 052-935-3071 | 57 |
| 三島美智子 | 日進市 | 05617-3-4078 | 39 |
| 三本千鶴 | 稲沢市 | 0587-22-0241 | 37 |
| 村山多美 | 刈谷市 | 0566-25-4468 | 87 |
| 山本純子 | 名古屋市 | 052-625-3755 | 22 |
| 横関千恵子 | 西加茂郡 | 05613-4-4662 | 108 |
| 吉兼清美 | 豊田市 | 0565-27-5535 | 51 |
| 渡邉弘美 | 名古屋市 | 052-414-0596 | 66 |
| 斎藤亜弓 | 員弁郡 | 0594-77-2143 | 72 |
| 外池明美 | 四日市市 | 0593-55-9985 | 157 |
| 田川芙美子 | 一志郡 | 05984-2-7286 | 158 |
| 長嶌和子 | 四日市市 | 0593-21-8948 | 15 |
| 中林孝子 | 一志郡 | 05984-2-3142 | 119 |
| 南條和枝 | 四日市市 | 0593-21-9619 | 112 |
| 浜　久美子 | 四日市市 | 0593-57-2278 | 69 |
| 原田規江 | 尾鷲市 | 05972-3-2459 | 123 |
| 平林せつ子 | 稲沢市 | 0587-21-4227 | 61 |
| 松下美和 | 尾鷲市 | 05972-2-3801 | 70 |
| 山川ひろ子 | 三重郡 | 0593-94-3311 | 32 |

### 滋賀県

| | | | |
|---|---|---|---|
| 穴井悦子 | 栗太郡 | 077-553-6457 | 100 |
| 井上伸子 | 大津市 | 077-549-1916 | 166 |
| 岩崎乃理子 | 長浜市 | 0749-65-2326 | 155 |
| 上田佳子 | 草津市 | 077-562-5726 | 146 |
| 上田美津江 | 甲賀郡 | 0748-74-1875 | 148 |
| 植西敦子 | 守山市 | 077-582-0916 | 84 |
| 大羽幸子 | 草津市 | 077-564-3543 | 151 |
| 大林登美子 | 栗太郡 | 077-554-0086 | 48 |
| 岡　清美 | 草津市 | 0775-62-4591 | 150 |
| 岡田トシエ | 甲賀郡 | 0748-74-1681 | 150 |
| 奥　時子 | 八日市市 | 0748-23-3276 | 48 |
| 奥村美鈴 | 栗太郡 | 077-553-8365 | 144 |
| 角谷しづ子 | 栗太郡 | 077-552-7998 | 66 |
| 木佐貫正美 | 甲賀郡 | 0748-86-5600 | 147 |
| 木村則子 | 草津市 | 077-564-0077 | 144 |

| | | | |
|---|---|---|---|
| 沓水直子 | 長浜市 | 0749-64-1102 | 16 |
| 桑原紀美子 | 彦根市 | 0749-22-7106 | 153 |
| 小林美矢子 | 守山市 | 077-582-7432 | 13 |
| 小林美智子 | 草津市 | 077-565-0158 | 145 |
| 小松光子 | 守山市 | 077-583-1493 | 129 |
| 相楽益子 | 甲賀郡 | 0748-82-1532 | 52 |
| 霜田知子 | 野洲郡 | 077-587-0999 | 149 |
| 菅井真紀子 | 守山市 | 077-585-6967 | 51 |
| 杉江豊子 | 草津市 | 077-564-0903 | 148 |
| 杉嵜ひとみ | 守山市 | 077-583-9576 | 91 |
| 蘇鉄本真由美 | 草津市 | 077-564-8784 | 147 |
| 田井中明美 | 愛知郡 | 0749-46-0900 | 60 |
| 高嶋道子 | 草津市 | 077-562-9609 | 144 |
| 高嶋和子 | 甲賀郡 | 0748-72-2874 | 141 |
| 田中豊子 | 彦根市 | 0749-24-5548 | 159 |
| 田中裕子 | 栗太郡 | 077-553-8305 | 146 |
| 辻　節子 | 草津市 | 077-562-6429 | 151 |
| 當座洋子 | 栗太郡 | 077-552-5289 | 35 |
| 中井幸子 | 守山市 | 077-582-8176 | 125 |
| 夏山美千代 | 大津市 | 077-579-1424 | 14 |
| 新村伸江 | 大津市 | 0775-33-4346 | 150 |
| 西　美保子 | 彦根市 | 0749-22-5105 | 124 |
| 野々暁美 | 草津市 | 077-565-8087 | 149 |
| 原　かよ子 | 彦根市 | 0749-22-6843 | 145 |
| 坂東千鶴子 | 大津市 | 077-574-3370 | 159 |
| 樋口明子 | 草津市 | 090-8126-3675 | 151 |
| 藤田澄子 | 滋賀郡 | 077-594-8281 | 53 |
| 藤林弥恵 | 坂田郡 | 0749-52-4729 | 143 |
| 藤林照美 | 坂田郡 | 0749-52-1938 | 34 |
| 本舘京子 | 大津市 | 077-533-0590 | 146 |
| 正木和子 | 彦根市 | 0749-23-7717 | 154 |
| 三上恭枝 | 草津市 | 0775-63-6263 | 148 |
| 宮嶋鋭美 | 栗太郡 | 077-558-0453 | 144 |
| 村上千尋 | 栗太郡 | 077-553-6921 | 125 |
| 村上淳子 | 大津市 | 077-579-6755 | 150 |
| 村瀬眞知子 | 甲賀郡 | 0748-77-3671 | 145 |
| 森川圭子 | 草津市 | 077-562-2128 | 161 |
| 森口洋子 | 大津市 | 077-549-0741 | 148 |
| 安井フミ子 | 大津市 | 077-574-6691 | 157 |
| 休石信子 | 草津市 | 077-566-0252 | 149 |
| 藪内敬子 | 長浜市 | 0749-63-2837 | 59 |
| 山形都紀美 | 守山市 | 077-585-4607 | 53 |
| 山本弘美 | 甲賀郡 | 0748-86-0429 | 151 |
| 四元久美 | 守山市 | 077-583-2019 | 149 |
| 米口君子 | 大津市 | 077-578-5372 | 52 |
| 米口裕子 | 大津市 | 077-578-5372 | 50 |

### 京都・大阪府

| | | | |
|---|---|---|---|
| 荒木純子 | 長岡京市 | 075-952-2443 | 44 |
| 白谷直美 | 京都市 | 075-861-3896 | 147 |
| 田代千栄子 | 相楽郡 | 0774-76-3456 | 164 |
| 林　美恵子 | 長岡京市 | 075-935-7121 | 167 |
| 丸山順子 | 亀岡市 | 0771-25-9078 | 145 |
| 山根由加 | 京都市 | 075-332-3547 | 171 |
| 和田則子 | 京都市 | 075-331-8286 | 89 |
| 井口由美子 | 茨木市 | 0726-22-2229 | 147 |
| 岩井えり子 | 大阪市 | 06-6352-1696 | 77 |
| 大口慶子 | 泉大津市 | 0725-31-4525 | 44 |
| 甲斐美智子 | 茨木市 | 0726-35-0314 | 105 |
| 川口淳子 | 豊中市 | 06-6841-2491 | 65 |
| 宗園正江 | 寝屋川市 | 072-828-8285 | 76 |
| 田内淑子 | 豊中市 | 06-6872-4012 | 40 |
| 田川和子 | 高槻市 | 0726-87-5514 | 83 |
| 多田真樹子 | 豊中市 | 06-6872-0434 | 42 |
| 田辺節子 | 豊中市 | 06-6863-7537 | 94 |
| 中田澄江 | 和泉市 | 0725-41-5571 | 162 |
| 二保幸子 | 八尾市 | 0729-24-7076 | 85 |
| 原田克子 | 松原市 | 0723-34-7597 | 117 |
| 疋田尚子 | 茨木市 | 0726-33-2348 | 170 |
| 桝田敦子 | 豊中市 | 06-4865-1086 | 19 |
| 宮崎智子 | 豊中市 | 06-6845-1687 | 59 |
| 守屋裕紀子 | 豊中市 | 06-6857-7431 | 104 |

### 兵庫・奈良県

| | | | |
|---|---|---|---|
| 阿部桂子 | 宝塚市 | 0797-88-4152 | 30 |
| 新井典子 | 神戸市 | 078-857-8698 | 113 |
| 安東千鶴 | 川辺郡 | 0727-66-6220 | 62 |
| 榎本和子 | 明石市 | 078-911-9378 | 32 |
| 加藤久恵 | 三田市 | 0795-63-7387 | 95 |
| 北原弘子 | 姫路市 | 0792-66-9722 | 71 |
| 小嶋　和 | 姫路市 | 090-4295-7051 | 136 |
| 小松智都子 | 高砂市 | 0794-43-6370 | 80 |
| 柘植朝子 | 神戸市 | 078-431-9220 | 42 |
| 細谷陽子 | 尼崎市 | 06-6494-8039 | 63 |
| 松井文代 | 明石市 | 078-923-2607 | 81 |
| 井上佳子 | 生駒市 | 0743-74-9887 | 163 |
| 岡田和子 | 生駒市 | 0743-73-3837 | 88 |
| 亀井芙美子 | 生駒市 | 0743-73-6908 | 171 |
| 酒匂万理 | 大和郡山市 | 0743-55-0929 | 166 |

### 岡山・広島・山口・香川県

| | | | |
|---|---|---|---|
| 西田容子 | 淺口郡 | 08654-4-4892 | 128 |
| 大野美穂子 | 広島市 | 082-295-9311 | 36 |
| 上田節子 | 下関市 | 0832-35-3753 | 119 |
| 小沢圭子 | 厚狭郡 | 0836-72-0725 | 140 |
| 川西孝子 | 宇部市 | 0836-44-4304 | 167 |
| 小林安子 | 宇部市 | 0836-34-6772 | 9 |
| 佐野美智江 | 宇部市 | 0836-62-1329 | 94 |
| 波木瑠美 | 宇部市 | 0836-33-2231 | 158 |
| 野間真弓 | 下関市 | 0832-22-0554 | 75 |
| 松森真喜子 | 宇部市 | 0836-22-0205 | 120 |
| 久保真貴子 | 高松市 | 087-867-2840 | 40 |
| 佐藤昌代 | 高松市 | 087-837-2965 | 69 |
| 東原真喜子 | 高松市 | 087-889-7187 | 82 |

### 福岡県

| | | | |
|---|---|---|---|
| 青木久子 | 福岡市 | 092-806-5676 | 122 |
| 東　佐代子 | 福岡市 | 092-804-0645 | 134 |
| 阿蘇品芳乃 | 前原市 | 092-324-2757 | 131 |
| 荒牧暢子 | 遠賀郡 | 093-223-1933 | 133 |
| 大山真由美 | 北九州市 | 093-601-8816 | 29 |
| 緒方敦子 | 大野城市 | 092-596-6959 | 52 |
| 海田イク | 福岡市 | 092-871-4828 | 156 |
| 久保山枝美子 | 筑紫野市 | 092-926-0622 | 33 |
| 後藤満由美 | 北九州市 | 093-471-2516 | 58 |
| 下村輝代 | 福岡市 | 092-807-2025 | 8 |
| 隅田恵里子 | 福岡市 | 092-882-8681 | 134 |
| 高田和子 | 糟屋郡 | 092-936-4722 | 165 |
| 高橋美保子 | 北九州市 | 093-884-2600 | 170 |
| 友岡積子 | 福岡市 | 092-891-5954 | 26 |
| 豊福由紀子 | 福岡市 | 092-461-2943 | 106 |
| 永川恵子 | 福岡市 | 092-551-0955 | 64 |
| 野口恵美子 | 福岡市 | 092-804-1276 | 8 |
| 藤家藍奈 | 福岡市 | 092-641-4732 | 132 |
| 藤松伸子 | 福岡市 | 092-844-1150 | 99 |
| 松嶋直子 | 福岡市 | 092-762-5064 | 75 |
| 道永倫子 | 筑紫野市 | 092-923-0267 | 164 |
| 山岡ハナコ | 北九州市 | 093-613-8135 | 6 |
| 山本すみ子 | 北九州市 | 093-961-4064 | 138 |
| 山元信子 | 宗像市 | 0940-32-3386 | 104 |
| 山本ヨシノ | 糟屋郡 | 092-943-7037 | 85 |
| 四元節代 | 北九州市 | 093-921-4680 | 161 |

### 佐賀・熊本・大分県

| | | | |
|---|---|---|---|
| 東　かおり | 三養基郡 | 0942-92-3982 | 107 |
| 石橋恵子 | 佐賀市 | 0952-33-6575 | 67 |
| 北島ます子 | 三養基郡 | 0942-92-1605 | 135 |
| 小林篤子 | 佐賀市 | 0952-32-2853 | 63 |
| 竹野たつ子 | 鳥栖市 | 0942-82-0410 | 72 |
| 槻木律子 | 神埼郡 | 0952-53-6502 | 18 |
| 松尾眞澄 | 三養基郡 | 0952-53-7427 | 170 |
| 横田ミヤ子 | 神埼郡 | 0952-52-4518 | 67 |
| 出口サナエ | 長崎市 | 095-838-2440 | 162 |
| 井手典子 | 熊本市 | 096-344-3449 | 140 |
| 熊川日東美 | 上益城郡 | 096-289-8270 | 65 |
| 榊　智子 | 熊本市 | 096-345-1414 | 163 |
| 澤田信子 | 熊本市 | 096-355-1212 | 41 |
| 野田仁美 | 熊本市 | 096-346-9695 | 173 |
| 高野スミ子 | 大分市 | 0975-37-7261 | 67 |
| 高野悦子 | 別府市 | 0977-67-2882 | 90 |

### 香港・台湾

| | | | |
|---|---|---|---|
| 秋山裕子 | TaikooShing | 2884-9818 | 177 |
| 佐近都江 | HappyValley | 2895-4473 | 175 |
| 土屋ハツエ | NorthPoint | 2503-0600 | 176 |
| 八山　緑 | TaikooShing | 2884-4075 | 176 |
| 町野孝子 | 1 Kings RD | 2806-8432 | 175 |
| 陳　凱琳 | CausewayBay | 2838-0086 | 175 |
| 唐　雪華 | CausewayBay | 2838-0086 | 176 |
| 唐　雪儀 | CausewayBay | 2838-0086 | 175 |
| 鄭　珍沃 | TaikooShing | 2884-2271 | 176 |
| 李　碧瑶 | HappyValley | 2572-8586 | 177 |
| 林　孟祥 | 台中市 | 04-22228302 | 179 |
| 曾　雅敏 | 高雄市 | 07-3217189 | 178 |
| 范　郁真 | 台北市 | 02-27285523 | 177 |
| 陳　婷瑤 | 台北市 | | 177 |
| 何　旻真 | 台北市 | | 177 |
| 蔡　旻吟 | 鳳山市 | 07-7450629 | 179 |
| 游　美照 | 台北市 | 02-28732128 | 178 |
| 黄　美淑 | 台南市 | 06-2691556 | 178 |
| 林　玉綺 | 南投市 | 049-2204049 | 178 |
| 姜　麗紅 | 台中市 | 02-25785612 | 177 |
| 李　静宣 | 台中市 | 04-22300171 | 179 |
| 龔　慧君 | 高雄市 | 07-3382624 | 179 |

# ＤＥＣＯへのお誘い

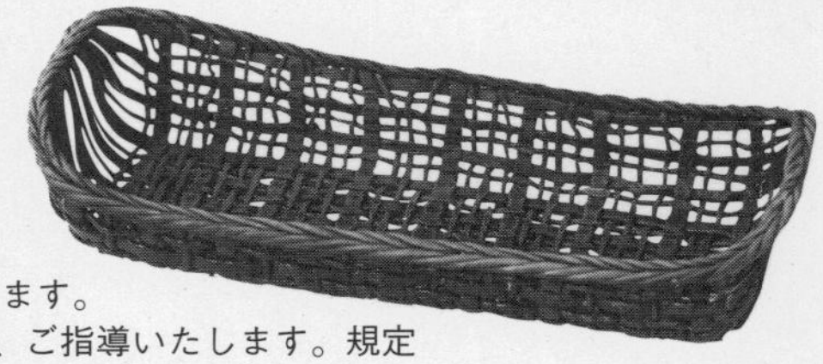

焼かないで手軽に出来る陶器への風合いを持った新しい工芸です。
生活の中に生きる小物から室内装飾まで思いのままに手作りが楽しめます。あなたのセンスを生かしてみませんか。
ＤＥＣＯクレイクラフトアカデミーではクレイクラフト科、クレイギフト科の各コースがあり随時入会を受付ております。
カリキュラムは、アクセサリー、バスケット、花、立体的壁面装飾(レリーフ)、人形などを、それぞれ組み込んで、ご指導いたします。規定のカリキュラム修了者は検定後、教室を運営する資格を得ることができます。全国各地に教室が御座いますので、下記までお問い合わせ下さい。

●DECOｸﾚｲｸﾗﾌﾄｱｶﾃﾞﾐｰ全ｶﾘｷｭﾗﾑ及び、進級ﾌﾟﾛｾｽ。

●随時入会できます。●各科とも終了書申請後進級進級していただきます。
●月謝制で、1レッスン2時間・月3回です。

クレイクラフト科 ― 初等科 10作品 進級→ 中等科 10作品 進級→ 高等科 10作品

（高等科）↓ 資格検定

クレイギフト科 ― 基礎科 10作品 進級→ デザイン科 10作品 資格検定 → 師範資格検定　合格者は規約に基づき教室を開催することができます。また師範に進級できます。 進級→ 師範研究科　さらに高度な技術を習得する事ができます。


DECO
CLAY CRAFT ACADEMY

DECOｸﾚｲｸﾗﾌﾄｱｶﾃﾞﾐｰ主宰／宮井和子
〒135-0042東京都江東区木場5-2-6 2F
TEL03-3630-2082　FAX03-3630-2024


●パンフレット御希望の方は左記に御請求下さい。尚、本部の認定なく教室指導をすることは、お断りいたします。

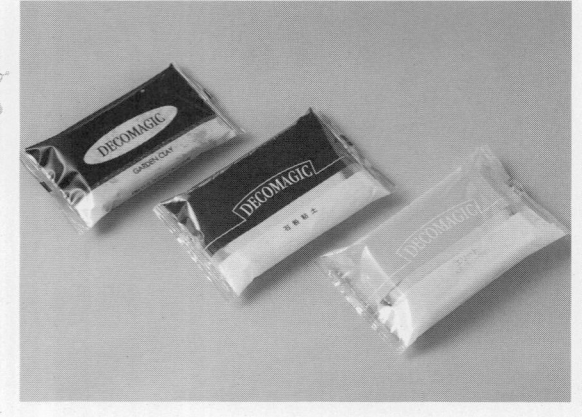

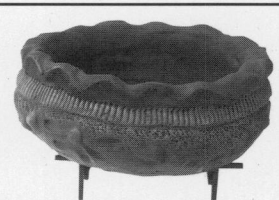

# ◆◆マコー社・粘土の本ご案内◆◆

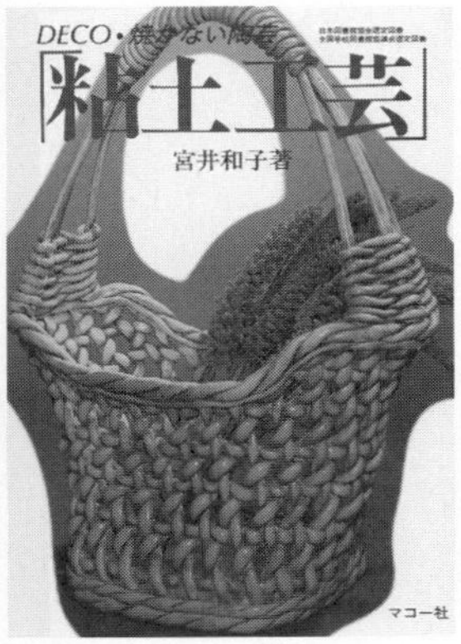


宮井和子著
ｶﾗｰ32・総96ﾍﾟｰｼﾞ
本体900円

宮井和子著
ｶﾗｰ32・総96ﾍﾟｰｼﾞ
本体900円

宮井和子著
ｶﾗｰ32・総96ﾍﾟｰｼﾞ
本体900円

宮井和子著
ｶﾗｰ32・総96ﾍﾟｰｼﾞ
本体1200円

宮井和子著
ｶﾗｰ32・総96ﾍﾟｰｼﾞ
本体1300円

宮井和子著
ｶﾗｰ32・総96ﾍﾟｰｼﾞ
本体1300円

宮井和子著
ｶﾗｰ32・総96ﾍﾟｰｼﾞ
本体1262円

宮井和子著
ｶﾗｰ40・総88ﾍﾟｰｼﾞ
本体1300円

宮井和子著
ｶﾗｰ36・総92ﾍﾟｰｼﾞ
本体1500円

DECO粘土の作品集
# クレイアートコレクション

平成13年6月27日初版発行
著　者　宮井《みやい》　和子《かずこ》
発行者　田波　清治
発行所　株式会社マコー社
〒113-0033 東京都文京区本郷4-13-7
電　話　東京03(3813)8331(代)
ＦＡＸ　東京03(3813)8333
振　替　00190-9-78826
印刷所　凸版印刷株式会社

 ISBN4-8377-0101-9